콩나물 학교

—어린이와 어른이 함께 읽는 시

**발 행** | 2024년 5월 15일
**저 자** | 이세라
**펴낸이** | 한건희
**펴낸곳** | 주식회사 부크크
**출판사등록** | 2014.07.15.(제2014-16호)
**주 소** | 서울특별시 금천구 가산디지털1로 119 SK트윈타워 A동 305호
**전 화** | 1670-8316
**이메일** | info@bookk.co.kr

**ISBN** | 979-11-410-8331-1
**www.bookk.co.kr**

# 콩나물 학교-어린이와 어른이 함께 읽는 시

이세라 지음

# 차례

## 2부

## 시인의 말

윤동주 시인처럼 맑고 푸르른 시를 쓰고 싶었습니다. 그러나 내 속엔 치사함과 뻔뻔함, 얄팍한 계산들과 아름답지 못한 생각들이 들어 있어서 고운 말들이 나오질 않았습니다. 무자비한 자본주의 시대에 살아남느라 어쩔 수 없었노라고 변명해 보겠습니다. 그래도 시를 쓰고 싶어서 졸렬한 시 몇 편을 선보입니다. 살기 힘들어서, 더러운 꼴들이 아니꼬워서 비속어와 성난 말들이 나도 모르게 튀어나온 글을 쓰고 있었습니다. 십여 년 전에 대형 포털 메일에 저장 해놓았는데 관심을 갖지 않고 살아가는 동안에 그 메일들은 사라져 버리고 말았습니다. 또 험한 말이 튀어나옵니다. 그러나 곱게 마음을 먹기로 했습니다. 되도록 순화된 말로 쉬운 시를 썼습니다. 고운 감성의 삽화를 넣고 싶었지만... 어설픈 실력으로 AI그림을 그렸습니다. 대부분 사진 아니고 AI그림입니다. (사진도 있습니다) 누가 읽어줄지 모르겠습니다만 만용을 내어 시집을 발간합니다. 쓰고 싶은 것은 마음에 가득하지만 감성부족, 표현력 부족을 실감하면서 끙끙대며 출산했습니다. 기계치인 제가 첨단 AI로 삽화를 그렸다는 것을 어여삐 봐주세요. 한 편이라도 괜찮다고 봐주시면 고맙겠습니다. 제 글은 어른이 감상해도 되고 어린이가 읽어도 됩니다. 일찍이 김송배 시인은 '어린의 말은 그대로 시이다'라고 했습니다. 어린이들이 읽고 좋아해 주었으면 하고 바라봅니다.

어린이가 읽다가 글이 어렵다고 느끼는 부분이 있으면 좀 더 나중에 다시 읽어보기를 권합니다.

인생의 목적은 시를 읽고 시를 쓰는 것이라고 영화 '죽은 시인의 사회'에서 주인공이 말했습니다. 졸작이라도 저는 시를 썼으니 목적을 달성한 성공한 인생입니다. 고맙습니다!

2024년 5월

이세라

# 1부

## 콩나물

빽빽한
일상을 솎아
한 세상
무쳐 낸다

사는 곳이
캄캄하고 축축하여
상처받아도

누구에게나 속을
풀어주는 그대

착한 나물
콩나물

## 냇가의 봄

쏘옥
뚝방길 따라
연두얼굴 내미는
싹

한껏
기지개
켜고 있는 여울가
키버들

빛깔
고운 샛노랑, 연보라, 진분홍
봄을 펴는
꽃이파리

고인 물가
제 짝 찾아
각시붕어
꼬리춤 춘다

총총
물총새도
구멍둥지 틀기 바쁘다

세상은
풍성해진다
들리지 않는
소란스러움 속에

더욱
아름다워진다

## 풍경 소리

없는 듯 있다가

자기 소리로

존재를 일깨운다

구름 속에 조으는

산을 일깨우면

새는 어디론가

날아가고

댕그렁

산사는 온통

법열에 든다

## 할머니의 도시락

'드르륵'
교실 앞문이 열립니다

누구지?
수많은 눈동자가
한곳으로 쏠립니다

새우등같이 굽은 허리
하얀 실타래 같은 머리
빛바랜 옥색 치마저고리

두리번두리번
바빠 움직이는 할머니의 눈동자가
한 곳에서 멈춥니다

분홍 보자기를 내 책상 위에 터억 얹으시곤
"천천히 먹어라" 한마디 하시고 나가십니다

'아이 창피해. 안 먹어도 괜찮은데 뭐하러 오셨남'

오목주발 열어보니
아직도 따뜻합니다

점심 굶을 손녀 걱정에
부랴부랴 밥 지어서
십리 길을 품에 안고 오셨습니다

할머니 고마워요
할머니 사랑으로 이만큼 자랐어요

철없는 외손녀
사십 년이 지나서야 인사합니다
할머니 사진 앞에서

인생의 고비고비 넘어질 때마다
그 도시락이 나를
일으켜 세웁니다
힘을 얻고
다시 걸어갑니다

## 대파 유감

워매, 3980원!
콩나물국 끓이려면 대파가 필요한데...
들었다 놓아버렸다

히힛, 굵직한 대파들 한 단에 1980원!

정치란 좋은 것이여!
야당과 여당 정치인들이 모라고 씨부려싸더니
요로콤 싸져버렸네

오늘 저녁엔
대파 팍팍 넣고 콩나물국 끓여서
시원하게 먹어보자고

## 시냇물

어서 가자 어서 오라
그래그래
끄덕끄덕

목마른 풀포기에
물 한 모금 적셔주고
메마른 돌부리에
두어 모금 남겨주고

다래순, 으름덩굴아
조만간 다시 만나자꾸나

민물가재, 산꺽지, 엽새우, 퉁가리야
잘살고 있으려무나

산토끼, 줄다람쥐
까투리와 꺼병아
나의 친구들아
숲 속 친구들아

하마 헤어지기 아쉬워
맴을 돌다가

안녕!
반짝반짝 손 흔들고

나는 좀 더
넓은 세상으로 여행 떠난다

저녁마다 웃음꽃 피는
영희네 밥상도 기웃거려보고

왁자지껄한 운동장
땀 흘린 아이들
시원하게도 해주고

다시 만나면
세상 구경한 이야기,
재미난 이야기,
신기한 이야기
좔좔좔
들려줄게

## 우주를 심는다

오늘, 들깨란 우주를
참깨란 우주를
서리태란 우주를
지구라는 행성 위에 심는다

내일 싹이 나고
모레 잎이 나고
글피 꽃이 피고
그글피 또 우주를 맺고

# 가을밤의 세레나데

달님이 휘영청
밝은 밤 깊은 밤에
귀뚜라미 귀뚜르르 귀뚜르르
멋지게 연주해요
내 사랑 받아주오
어여쁜 당신에게 반했소

당신 연주 너무 멋져요
그 사랑 받아 줄게요
귀여운 아가들 많이 낳고
행복하게 살아요

달님이 기웃기웃
궁금해서 기웃기웃

나뭇잎 예쁘게
단장하는 가을밤에
긴꼬리 리리리릿 리리리릿
멋지게 노래해요
내 사랑 받아주오

맛있는 선물도 준비했소

당신 노래 듣기 좋아요
선물도 달콤해요
귀여운 아가들 잘 기르며
행복하게 살아요

바람이 흔들흔들
흥이 나서 흔들흔들

## 한여름 밤의 결투

남의 피를
호시탐탐 탐하는 너는
드라큘라 흡혈귀 후손

매혹적인 여자를 몹시도 탐하는
뱀파이어 왕국의 전사

피가 부족해
너의 것을 조금만 다오

싫어! 조금도 줄 수 없어
결투를 신청한다
비장하게

차 차 착!
살의에 찬 칼을 마구 휘두른다

어둠만 좇는 너는 흔적도
없이 사라지고

하릴없이 다시 눕는다

의기양양 승리의 나발
소리를 울리며 오늘도 흡혈가문의
후대를 이어가는 너

버어억벅
허벅지 긁는 사이

어느새
창밖은 하얘지고 있다

## 할머니 된 날

친구가 손주와 놀러 왔다
인사해야지
"할머니 안녕하세요?"
"어, 어어, 안녕?"

아가씨 소리 듣다가
처음 아줌마란 소리 들은 날
벼락 맞은 것 같았는데
오늘은 난생처음
할머니란 소리를 들었다

하하하
호호호
할할할 할머니
그냥 웃을 수밖에

## 콩나물 학교

콩나물 학교에는
학생들이 참 많아요
서로서로 키 재기하지요
내가 너보다 크다
야냐 내가 더 커
아이들은 날마다
발돋움하며
부쩍부쩍 크지요

## 콩나물 학교 음악 시간

콩나물 학교 아이들은
노래를 잘 불러요

서로서로 어깨 맞대고
기대어 서서

합창 시간은 참 즐겁다네
도레미솔라
궁상각치우

## 미운 받아쓰기

빵점 받은 받아쓰기
창피하고 화난다
몇 점이냐고 엄마가 물으신다
으앙 울어버렸다
빵점이어도 괜찮다고 하는 엄마

텔레비전도 못 본다
게임도 못 한다
저녁마다 받아쓰기 공부한다
100점 받을 때까지

세상에서 받아쓰기가
제일 밉다

## 맨도롱 또똣

맨도롱 또똣
외계어 같은 이 말에는
따뜻한 마음이
녹아 있어요

너무 뜨거워
입술 데지 않게
너무 차가워
배탈 나지 않게
가장 좋은 때에 잡수라는
착하디착한 우리말

제주 사람들의
고운 마음이
이 말에 녹아 있지요

맨도롱또똣 맨도롱또똣 맨도롱또똣
세 번만 말해 보세요
정감 있는 노래가 되어버려요

## 얄미운 룸메이트

난 내 월급의 삼 분의 일을 월세로 내고

빠듯하게 살아내느라

헉헉대는데

넌 얄밉게 몰래 살아가니?

다음 달부터 월세 좀 보태

안 그러면 쫓아낸다

## 미안해 달개비야

크고 화려한 꽃
사진 귀퉁이에 찍힌
작고 파란 꽃
미안해 달개비야
다음에는 너를
주인공으로 찍어줄게

## 우리 아기 첫돌에

백자수염 산신령님 지팡이 타고 왔나
호호삼신 할머니 품 포대기 업혀 왔나
승천하는 용 타고서 쏜살같이 왔구나
백리를 휘달리는 백호등 타고 왔구나

색동옷 아얌드림 어여쁜 공주마마
꼬까옷 도령복건 씩씩한 왕자마마
앙증맞은 손가락에 황금반지 빛나네
엄마 아빠 이모 고모 온 사랑 너를 보듬네

돈을 잡으렴
실을 잡으렴
연필을 잡으렴
세상을 다 품어 안으렴

도리도리 까꿍까꿍 잼잼잼 곤지곤지
까르르르 웃는 얼굴 온 시름 다 녹는다
아장아장 걸어와서  이 내 품에 안기네
온 세상이 어화둥둥 아가야 우리 아가야

## 극단적인 선택

돈만 많은 가난뱅이와
돈만 없는 부자
둘 중에 너는 어느 쪽을 선택해서 살래?
하나만 골라야 한다면

## 2월, 얼음장 위에 서다

언 실핏줄이
하얗게 터진다

단단한 아집도
우르르 무너진다

급기야
산산이 부서지는
몸뚱이

다친 짐승처럼
울부짖었다

비로소 알았다

부여잡고 있던
나의 세계는
긴 그림자를 드러내고 있었다

## 꿈꾸는 콩나물

한 자 시루 안
반의 반치 공간이
나의 집

시커먼 장막
개의치 않고
푸르른 자유 향해
힘껏 발돋움 한다

광할한 창공
마음껏 쏘다닌다
투명한 깍지날개 달고

목마르면
물 한 바가지
벌컥벌컥 들이키고

## 이름만 불러도

초롱꽃 흰동자꽃 참나리 졸방제비꽃
할미꽃 애기똥풀 엉겅퀴 뻐꾹나리
함박꽃 솔체꽃 꽃창포 금강초롱
영산홍 청단풍 무늬금계국 꽃마리
맥문동 개여뀌 사랑초 은방울꽃
장미매발톱 장미앵초 섬초롱 진달래
꼬리조팝 양지꽃 가락지나물 봄까치꽃
봄맞이 끈끈이동자꽃 민들레  꽃다지
달맞이꽃 쑥부쟁이 고마리 큰까치수염
나팔꽃 봉선화 하늘나리 버들강아지

우리 땅에 피고 지는
고운 존재들

이름만 불러도 시가 되어요

향기로운 꽃내음이
나를 감싸요

## 여름날의 오케스트라

톡

톡톡

톡톡톡

빗방울이 여린 이파리를

두드립니다

혹여 다칠까 살살

먹구름이 장막을 치네요

캄캄해진 관객석 세상

번쩍 지지직

쾅 콰콰쾅 우르르 쾅

장엄한 서막을 알리는 번개와 천둥의 연주

호홋, 후후후

돌개바람이 휘돌며 휘파람을 불어요

휘잉휘이잉

거센 바람이 뒤따라

관악기를 연주합니다

쫘악쫘악

굵은 빗줄기가 현을 울려요

장대비가 쭈욱쭈룩쭉쭉쭉

쫙쫙쫙쫙 쫘악쫘악쫙

느티나무 나뭇가지

흔들흔들 지휘하다

마구마구 춤춰버리고

## 가을 내

가라앉혀라
여름날의 뜨거웠던 욕정

버려라
마음에 가득한 탁한 욕심도

두어라
걸러라
가만히
귀 기울여라

한여름 헉헉대던
목마름
촉촉이 내가 적셔 줄 테니

맑디맑아져
느릿느릿
조용히 조용히
흘러가거라

울고 웃었던 그 모든 것들이
부질없다
아옹다옹 아웅다웅
서로 긁어대던 생채기
악다구니 썼던
아우성들도 소용없다

맑아져라
너도 나처럼

# 2부

## 달개비

두 귀
쫑긋
궁금해

아무도 다가오지 않는다
기다리다
양쪽 귀
시퍼레졌다

## 참나리

무엇이 부끄러워 고개 숙이나
황홀하도록 아름답고 화사하건만
저토록 겸손한 자태로
나무랄 데 없이 참한 너

## 유홍초

그대 향한
나의 마음
붉디붉게 달아오르고

두근거리는
나의 심장
커다란 정표로
그대에게 띄우노니

그대여
용기 내어 고백하노니
수줍은 내 사랑
부디 받아 주세요

## 부처손

손오공과 인간들이 잔꾀 부려도

그 손 고스란히 내어주시며

아픈 이 다독이시는

자애로운 님

메마른 바위 위에서 아무 원망도 없이

그 손 접고 펴시며

사시사철 푸르름 지켜내시는

한결같은 님

## 뻐꾹나리

대한민국 남쪽 지방 산기슭에 불시착한 외계인 나리
예가 맘에 꼭 들어 살기로 했다 꽃으로 변신해서
봄 내내 뻐꾹 소리 듣고선 뻐꾹새 닮아버렸다
온 우주에서 가장 아름다운 별에 사는 것도 모른 채
기쁨을 잊어버린 지구인이 안타까워
뻐꾹, 지금은 한 번 웃을 시간이에요
뻐꾹뻐꾹, 두 번 웃을 시간이에요
목 길게 빼고 외치시느라 바쁘신 뻐꾹나리님

## 더덕

덕을 더하라는 일깨움
몸소 실천하는 이
우리도 이처럼
덕을 쌓으며 수행한다면
건강이 더덕더덕
즐거움도 더덕더덕
따라올 거야

# 우산이끼

고운 빛깔 뽐낼 꽃 이파리 없지만
황토 흙에 깊게 내린 긴 뿌리도 없지만
우리는 어엿한 식물
살포시 우산 든 아가씨들,
우산 펼친 도련님들
자태 뽐내며
그늘 밑 바위에서 함께 살지요
날개 접고 쉬고픈 곤충에게
쉴 자리 내어주는 고운 마음씨
그 어느 것 나무랄 데 없는
아름다운 존재

## 작가 소개

이세라

2013년 지구문학 '풍경 소리' 신인상 수상 등단

고려대학교 사범대학 졸업

중국 청도 이화 국제학교 교사 역임

현재 시와 동화를 쓰고 있음